DE EENHOORN

Een plek naast Fien

AAG VERNELEN & DEBBIE LAVREYS

Ma is verliefd

Het is koud in het bos.
Fien holt van hier naar daar.
Ze raapt een groot, rood blad op en stopt het in haar tas.
Wat verder ligt een dood stuk hout.
Er zitten witte zwammen op.
'Kijk hoe mooi, ma!' roept Fien.
Maar ma hoort het niet.
Ze staart wat in de verte.
Ze heeft een glimlach om haar mond.
Fien loopt naar ma toe.
'Ma,' zegt ze.
'Denk je nu wéér aan Miel?'
Ma schrikt ervan.
Maar dan lacht ze.
Haar ogen blinken en haar wangen gloeien.
'Ja,' zegt ze.
'Mag dat niet misschien?'
'Jawel hoor,' grinnikt Fien.
Miel is het lief van ma.
Dus ze mag best aan hem denken.
'Kom,' zegt ma.
'Het is te koud om stil te staan.'
Ze geeft Fien een hand.
'Ik dacht net aan zondag,' legt ma uit.
'Hoe leuk het was aan zee.'
Fien knikt.

En of het leuk was!
Fien mocht op Miel zijn rug.
Hij draafde als een paard.
Hij huppelde als een meisje.
Fien lachte zich slap.
Dat wil ze weer!
'Mag ik op je rug?' vraagt ze.
Voor ma iets zegt, springt Fien al op haar rug.
Ma valt bijna om.
Dan gooit ze Fien wat hoger op haar rug.
Als een zak meel.
'Juu, paard!' roept Fien.
'Daar gaan we,' zegt ma.
Ze loopt traag van links naar rechts.
En van rechts naar links.
Dat doet een paard niet.
Maar leuk is het wel!
'En nu huppelen!' roept Fien.
Ze wipt op en neer van plezier.
Ma loopt wat sneller.
'Jippie!' gilt Fien.
Maar dan ziet ze iets.
Iets wat ma niet ziet.
'Pas op voor die tak!' roept ze nog.
Te laat.
Ma en Fien vliegen door de lucht.

Nel

Fien en ma vallen zacht.
In een dik pak bladeren.
Fien schatert het uit.
'Wat ben jij een slecht paard!' roept ze.
'Een slecht paard?' lacht ma.
'Wacht maar!'
Ze kruipt naar Fien toe en kietelt haar zo hard ze kan.
Fien gilt.
Maar dan roept ze:
'Stil!
Hoor jij dat ook?'
'Ik hoor niks,' zegt ma.
'Is dat soms een smoes van jou?'
'Echt niet!' zegt Fien.
Ze houdt haar hoofd scheef.
Ja hoor, daar is het geluid weer!
Ze staat gauw op en kijkt om zich heen.
Daar!
Onder die struik zit een poesje.
Het maakt zich heel klein en kijkt bang om zich heen.
Fien hurkt neer.
'Kom maar,' zegt ze.
'Kom dan, lieve poes.'
Ze maakt haar stem zacht als dons.
Dat helpt: het poesje komt naar haar toe en geeft
kopjes aan haar been.

Fien aait de poes over haar ruggetje.
'Jij bent vast een meisje,' zegt ze.
Ze kijkt ma zoet aan.
'Mag ze mee naar huis?' vraagt ze.
'We hebben al een poes,' zegt ma.
Fien kijkt nog zoeter.
'Twee poezen kan toch best?'
Ma denkt even na.
'Je hebt gelijk,' zegt ze dan.
'Eentje kan er altijd nog bij.'
'Joepie!' roept Fien.
Ze pakt het poesje op.
'Ik noem haar Nel,' zegt ze.
'Dat is mooi,' zegt ma.
'Kom, we gaan naar huis.
Het wordt al donker en straks komt Miel.'
Fien danst met Nel in het rond.
'Miel komt op bezoek!' roept ze blij.
Dan loopt ze gauw door,
want ma is al een eind vooruit.

Gewoon Poes

Fien draaft het huis in met Nel.
'Poes, poes!' roept ze luid.
Poes komt naar haar toe.
Heel deftig, met haar kin omhoog.
Haar staart wijst in de lucht.
Fien zet Nel neer.
'Poes, dit is Nel,' zegt ze plechtig.
'Nel, dit is onze Poes.
Ze heet gewoon Poes.'
Nel kijkt naar Poes met grote oogjes.
'Niet bang zijn,' zegt Fien.
'Poes is heel lief.'
Maar dan maakt Poes haar rug bol!
Ze gromt van diep in haar keel.
Haar staart wordt dik.
Nel krimpt in elkaar.
Fien pakt haar gauw weer op.
Ma komt binnen.
'Je bent zo bleek, Fien,' zegt ze.
'Poes doet naar,' zegt Fien.
'Geef haar wat tijd,' zegt ma.
'Ze moet wennen aan Nel.'
Fien denkt even na.
Zou dat waar zijn?
Dan weet ze iets leuks.
'Straks toon ik Nel aan Miel!' zegt ze blij.

'Oei,' zegt ma.
'Miel komt pas laat vandaag.
Dan lig jij al in bed.'
'O, nee,' zegt Fien sip.
Ma kijkt haar lief aan.
'Weet je wat?' zegt ze.
'Neem Nel mee naar bed.
Is dat niet fijn?'
Fien knikt.
Dat is een goed plan.
'Maak je maar klaar voor de nacht.
Ik kom mee.
Want ik moet nog in bad.'
'Jij gaat je mooi maken voor Miel,' lacht Fien.
'Want Miel is jouw hartendief.'
Ma lacht ook.
Ze pakt Fien eens goed vast.
'De dief van mijn hart,
dat ben jij hoor,' zegt ze.

Het nieuws van ma

Het is ochtend.
Miel is al lang weer naar huis.
Ma giet koffie in een kop.
'Voor jou ook?' geeuwt ze.
'Ik lust toch geen koffie,' zegt Fien.
'Ach ja,' zegt ma.
'Stom van mij.'
Fien kijkt naar ma.
Wat doet ma gek.
Haar hoofd zit vast weer vol met Miel.
'Was het leuk met Miel?' vraagt Fien.
'Ja hoor,' zegt ma.
Dan kijkt ze Fien lang aan.
Zo lang!
Fien wordt er naar van.
'Wat is er, ma?' vraagt ze.
Ma neemt een slok.
Haar ogen blinken weer en haar wangen gloeien.
'Jij hebt Miel graag, he,' zegt ze dan.
Maar het klinkt als een vraag.
'Niet zo graag als jij!' lacht Fien.
'Miel is jouw hartendief!'
'Dat weet ik best,' zegt ma.
'Maar jij vindt Miel toch ook leuk?'
'Ja hoor,' zegt Fien.
'Miel is grappig en lief en... ook wel knap, hihi.'

'Daar ben ik blij om,' zegt ma.

'Want Miel en ik hebben gepraat tot laat in de nacht.

We hebben iets beslist.

Iets wat me heel blij maakt…'

'Zeg het dan!' roept Fien.

Ze wipt op en neer op haar stoel.

'Miel komt bij ons wonen!' zegt ma.

Haar ogen blinken nu als een diamant, zo hard.

'Voor hoe lang?' vraagt Fien.

'Voor altijd,' zegt ma.

'O, Fien.

Ik ben zo blij!'

Fien slikt gauw haar hap door.

Haar buik zit plots vol.

Miel is leuk, dat wel.

Maar voor altijd?

Dat is lang.

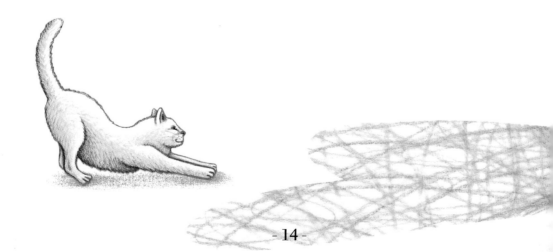

Een trap voor Poes

Plots hoort Fien gegrom.
Ze ziet al wat er is.
Nel wil eten, maar Poes zit pal voor de kom.
Ze gromt als een tijger.
En dan, heel plots, haalt ze uit met haar klauw!
Nel rent weg, onder de kast.
Poes rent achter haar aan.
Maar ze is te dik voor onder de kast.
Voor de kast blijft ze zitten, als een soldaat op wacht.
Ze loert gemeen naar Nel.
'Poes!' roept Fien boos.
Ze veert op en trapt in de lucht.
Poes rent weg.
'Stomme kat!' roept Fien haar na.
'Rustig, Fien,' zegt ma.
'Poes draait heus wel bij.'
Fien hurkt neer en kijkt onder de kast.
In het donker blinken twee oogjes.
'Niet bang zijn,' zegt Fien zacht.
'Toe Fien,' zegt ma.
'Eet nog een hap.'
Fien schuift weer aan tafel.
Ze kijkt naar haar bord.
Ze heeft geen trek meer.
Komt dat door Poes?
Of door het nieuws van ma?

'Ik heb genoeg,' zegt ze.
'Gaan we fietsen?'
'Leuk plan,' zegt ma.
'Trek je jas al maar aan.
Ik kom zo.'

Met drie naast elkaar

Fien trapt zo hard ze kan.
'Heb je haast?' vraagt ma.
'Ik hou je niet bij!'
Aan de brug stapt ma af.
'Dat is me te steil,' zegt ze.
'Ik ga te voet.'
Maar Fien rijdt door.
'Ik wacht boven wel!' roept ze.
Ze trapt en trapt en trapt.
Want hoe harder ze trapt,
hoe minder ze aan Miel denkt.
Boven op de brug stopt ze.
Ze kijkt om, naar ma.
Die duwt haar fiets traag de brug op.
Haar ogen blinken weer en haar wangen gloeien.
Zo blij is ze dat Miel komt.
Fien wil ook graag blij zijn, voor ma.
Maar het lukt niet.
Waarom blijft alles niet gewoon zoals het is?
Ma en Fien, Fien en ma.
En af en toe Miel op bezoek.
Dat is toch ook fijn?
Ma is boven op de brug en klimt weer op haar fiets.
'Klaar?' hijgt ze.
Fien knikt.
Daar gaan ze dan!

Ze bollen van de brug af.
Het gaat helemaal vanzelf.
Fien steekt haar voeten in de lucht.
Dat is leuk!
'Kijk uit, Fien,' zegt ma.
Een auto steekt hen voorbij.
De weg is smal, maar het past net.
'Hoe moet dat met Miel erbij?' vraagt Fien.
'Wat bedoel je?' vraagt ma.
'Als Miel naast ons fietst, kan geen auto meer door.'
'Je mag niet met drie naast elkaar,' zegt ma.
'Dan moet er eentje alleen.'
'Ja, maar,' zegt Fien.
'Wie moet er dan alleen?'
'Nu eens Miel, dan eens jij of ik,' zegt ma.
'Dat zien we dan wel.'
Ja, ja, denkt Fien.
Maar wat als Miel altijd naast ma wil rijden?
Moet ik dan altijd alleen?

Wat een troep

Fien gooit haar fiets op de stoep
en loopt naar binnen.
In de keuken is het lekker warm.
Fien kijkt onder de kast.
Nel zit er nog steeds.
Als Poes ook in de keuken komt, piept Nel zacht.
'Foei, Poes,' zegt Fien.
'Je maakt Nel bang.'
Poes lijkt nog trots ook.
Ze loopt heen en weer.
Steeds maar heen en weer, langs het been van Fien.
Fien aait Poes over haar rug.
'Stoute, stoute Poes,' zegt ze zacht.
Onder de kast piept Nel nog een keer.
'Heb je honger?' vraagt Fien.
Ze pakt de doos met voer en doet wat in de kom.
Daar komt Nel op af.
Stapje voor stapje.
Maar Poes gromt weer!
Nel blijft stokstijf staan.
Ze kijkt naar Poes en Poes kijkt terug.
Heel lang, als twee beelden van steen.
En dan schiet Poes als een pijl vooruit.
Nel vlucht weg en Poes jaagt haar na.
Ze vliegen door de keuken.
Over de tafel, de vensterbank, het aanrecht.

Er valt van alles op de grond.
Een leeg glas.
Een bloempot.
Een kom met snoep.
Het rinkelt en het klettert.
'Hou op!' gilt Fien.
Ze vliegt op Nel af en plukt haar van de grond.
Ma stormt binnen.
Ze pakt Poes bij haar nekvel en zet ze de deur uit.
'Zo, dat is dat,' zegt ze.

Geen plek voor Miel

Fien en ma kijken om zich heen.
De vloer ligt vol zand en snoep en scherven.
'Ik ruim het wel op,' zegt ma.
'Dek jij dan de tafel?'
Ma pakt stoffer en blik en veegt de boel op.
Fien zet twee borden op tafel.
En ook nog twee mokken, twee messen, brood,
een blok kaas en een bord met worst.
Als Miel hier woont, moeten er drie borden staan,
denkt Fien.
Ze kijkt naar de tafel.
Er kan best nog een bord bij.
Ze denkt even na.
Als ze nu eens…
Ja, dat is het!
Ze haalt nog meer uit de koelkast.
Een pot jam, een pak melk, een kom met soep, drie
appels en een gekookt ei.
Zo, nu staat het vol.
Er past geen bord meer bij.
'Jij hebt veel trek,' zegt ma verbaasd.
'Komt dat door het fietsen?'
Fien doet net of ze ma niet hoort.
'Er is geen plaats meer voor Miel,' zegt ze.
'Nee,' lacht ma,
'dat komt omdat jij alles zo vol zet!

We maken wel plaats en zetten een stoel tussen ons in.
Eentje kan er altijd nog bij.'
'Maar dan zit ik niet meer naast jou!' roept Fien.
'Mmm,' mompelt ma.
Ze denkt even na.
'Weet je wat?
Miel kan zitten waar jij zit.
En jij in het midden.'
Fien schudt haar hoofd.
'Dit is mijn plek,' zegt ze.
'Ik zit hier altijd.'
'Ja, dat is ook waar,' zegt ma.
'En wat als ik in het midden zit?
En Miel op mijn plek?
Dan zit ik naast jou en jij blijft op je plek.'
Fien doet haar mond open, maar er komt niets uit.
Wat kan ze daar nog op zeggen?
'Maar dat is toch jouw plek,' zegt ze dan maar.
'Dat geeft niet,' zegt ma.
'Ik wil bij jou en bij Miel zijn.
Dat is wat telt.'
Fien zwijgt boos.
Heeft ma voor alles een plan?

Bij ma in bed

Fien ligt klaarwakker in bed.
Het is nog donker buiten.
Bij haar voeten slaapt Nel.
Het buikje van Nel gaat zacht op en neer.
Maar Fien slaapt niet.
Ze denkt aan Miel.
Miel op de fiets naast ma.
Miel op de plek van Fien aan tafel.
Miel is echt een hartendief, denkt ze.
De dief van het hart van ma.
Fien glipt uit bed en loopt naar de kamer van ma.
Aan het bed van ma blijft ze staan.
Ma snurkt zacht.
Naast ma in bed is een lege plek.
Ooit was dat de plek van pa.
Maar pa ging dood toen Fien nog geen jaar was.
Nu is de lege plek van Fien.
Daar ligt ze soms na een nare droom.
Of als ze vroeg wakker is, zoals nu.
Fien kruipt op de lege plek.
Haar plek.
Met haar rug tegen de buik van ma aan.
Het lijkt wel een hol waar ze net in past.
Er kan niemand meer bij.
'Ma?' vraagt ze.
'Mmm?'

Ma klinkt nog niet goed wakker.
'Waar moet Miel slapen?' vraagt Fien.
'Miel kan in mijn bed,' zegt ma loom.
'Op de plek waar jij nu ligt.'
'Daar lig ik al,' zegt Fien.
'Jij ligt hier maar af en toe,' zegt ma.
'En dan kruip je er maar lekker bij.'
'Dat gaat niet,' zegt Fien.
'Het bed is veel te klein.'
'Ach,' sust ma.
'Jij neemt haast geen plaats in.
Eentje kan er altijd nog bij.'
Ze trekt Fien dicht tegen zich aan.
Fien voelt zich plots raar.
Ze heeft het warm en koud tegelijk.
Er zit een naar gevoel in haar buik.
Dit is toch haar plek?
Haar plek naast ma?
Plots krijgt ze het benauwd.
Ze rukt zich los uit ma haar armen.
Ze springt uit bed en stampt op de grond.
'Ik wil Miel hier niet!' brult ze.
Dan loopt ze de kamer uit.

Fien heeft spijt

Fien zit in de keuken, op haar plek aan tafel.
Haar hoofd ligt op haar armen.
Ze huilt, tranen met tuiten.
Ze wilde niet zo brullen tegen ma.
Echt niet.
Maar ze kon niet anders.
Dat nare gevoel moest eruit.
Ma komt heel stil de keuken in.
Ze aait het hoofd van Fien.
'Ik wist niet dat je het moeilijk had,' zegt ze.
'Ik dacht dat je Miel leuk vond.'
'Maar ik vind Miel ook leuk!' snikt Fien.
En dat meent ze.
'Kijk eens,' zegt ma.
Ze wijst naar de grond.
'Het komt wel goed met die twee.'
Nel eet uit haar kom en Poes zit ernaast.
Ze slaat gejaagd met haar staart.
Maar ze gromt niet en ze klauwt niet.
Dat is al heel wat.
'Is dat geen goed nieuws?' vraagt ma.
Fien knikt.
Ze lacht door haar tranen heen.
Het snot loopt uit haar neus.
'Hier.'
Ma geeft haar een zakdoek.

Fien snuit heel luid.
Poes springt op haar schoot.
Ze spint en rolt zich in een bolletje.
'Wij moeten eens praten,' zegt ma.
Ze wijst met haar neus naar het raam.
'Het is nog vroeg maar…
Wat denk je van een wandeling?'

Anders is niet altijd slecht

Het schemert nog in het bos.
Fien en ma lopen hand in hand.
Ze moeten eens praten, zei ma.
Maar ma zegt niks.
Ze is zo stil als het bos.
Fien vindt het fijn zo.
'Ma,' zegt ze na een tijd.
'Als Miel bij ons woont,
is alles dan anders?'
Ma denkt lang na.
'Anders wel,' zegt ze dan.
'Maar…
anders is niet altijd slecht.
Soms is anders naar, in het begin,
en moet je even wennen.
Net als Poes en Nel.
Maar soms is anders ook beter.
Denk maar aan die dag aan zee.'
Fien knikt.
Het was heel fijn aan zee, op de rug van Miel.
Als ze eraan denkt, moet ze nog lachen.
Fien zucht diep.
Ach ja, ze went vast wel aan Miel.
Maar dat nare gevoel in haar buik zit er weer.
Wat als ma Miel het liefst heeft van allemaal?
Liever dan Poes en Nel, liever dan Fien?

En dan blijft ma staan.
Ze hurkt neer voor Fien.
'Ik hou heel veel van Miel,' zegt ze.
'Maar ik hou ook heel veel van jou.'
Ma wijst naar haar hart.
'Hier is nog veel plaats, Fien.
Hier kan er altijd nog eentje bij.'
Ma trekt Fien tegen zich aan.
Fien duwt haar neus in de nek van ma.
'Weet je, Fien?' fluistert ma in het oor van Fien.
'Er is maar één dief van mijn hart.
En dat ben jij.
Voor altijd.'

Feest

Ma is druk aan het koken.
Ze maakt gehaktballen met warme krieken,
want dat lust Miel graag.
En Fien ook!
Fien dekt de tafel.
Drie borden staan er al.
En drie glazen, drie vorken en drie messen.
Op elk bord legt Fien een prachtig groen servet.
En naast elk bord een mooie tulp, vers uit de tuin.
Een gele tulp voor ma en Fien.
En daartussen een rode tulp voor Miel.
Want Miel mag naast ma én naast Fien zitten.
Fien kijkt naar de tafel en denkt even na.
'Moet er nog wat bij, ma?' vraagt ze.
Ma draait zich om.
Ze veegt haar handen af aan haar schort.
'Wat mooi!' zegt ze.
'Het lijkt wel feest.'
'Het is toch ook feest,' zegt Fien,
'want Miel komt voor altijd.'
'Je hebt gelijk,' zegt ma.
'Zet nog maar drie glazen bij, voor wijn.
Want bij feest hoort wijn.
En voor jou cola.'
Dat doet Fien meteen.
Poes springt op de tafel.

Ze wil een pootje helpen.
Maar dat mag natuurlijk niet!
'Af, Poes,' zegt Fien. Ze geeft Poes een zetje.
Op de grond loopt Poes naar Nel.
Ze snuffelen, neus aan neus.
En dan begint Poes Nel te wassen!
Ze likt Nels oren schoon, van buiten en van binnen.
'Ei, bah!' lacht Fien.
Dan gaat de bel. Dat is vast Miel al!
'Ik doe wel open!' roept Fien en ze spurt naar de deur.

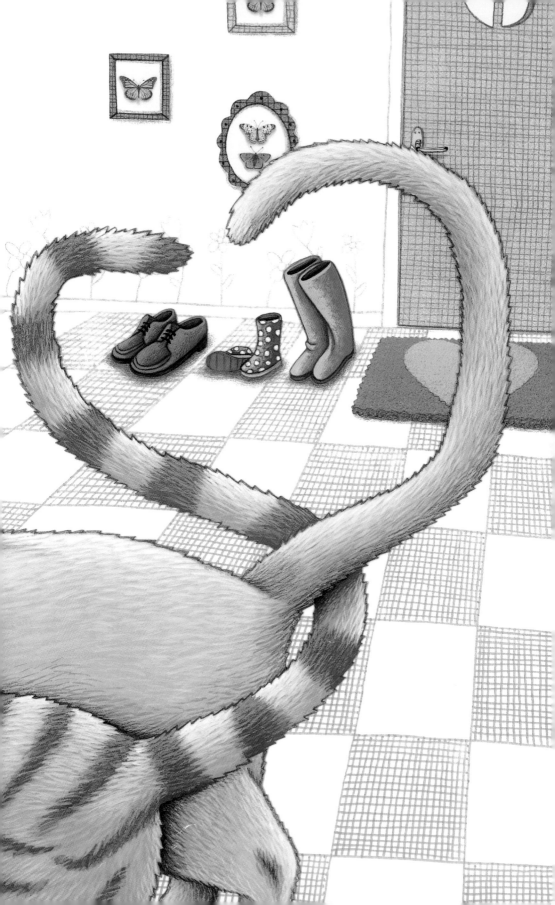

Voor Elina – Debbie

CIP-gegevens
Koninklijke Bibliotheek Albert I

© Tekst
Aag Vernelen

© Illustraties en omslagtekening
Debbie Lavreys

Vormgeving
Dries Desseyn (Oranje)

Druk
Oranje, Sint-Baafs-Vijve

LEESNIVEAU

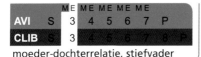

		ME	ME	ME	ME	ME	ME	
AVI	S	3	4	5	6	7		P
CLIB	S	3	4	5	6	7	8	P

moeder-dochterrelatie, stiefvader

Toegekend door Cito i.s.m. KPC Groep

© 2012 Uitgeverij De Eenhoorn bvba, Vlasstraat 17, B-8710 Wielsbeke

D/2012/6048/62
NUR 282
ISBN 978-90-5838-804-9

www.eenhoorn.be